Todo Garfield

JIM DAVIS

ediciones junior s.a.
(grupo editorial grijalbo)
barcelona

Traducción y adaptación al idioma castellano:
A. Prometeo Moya
Derechos para todos los países de habla castellana excepto Puerto Rico:
EDICIONES JUNIOR, S. A.
Aragó, 385 - 08013 Barcelona
ISBN: 84-7419-249-8
Depósito Legal: B. 22473 - 1987
Diagràfic, S. A. - Constitució, 19 - 08014 Barcelona
Printed in Spain

¡GATOS...!

SOMOS INTE-LIGENTES, FLE-XIBLES, AGUDOS

6-25

...PELUDOS, MIMOSOS...

...JUGUE-TONES...

...DISCRETOS...

Y LOS VERDA-DEROS AMOS DE LA CASA.

GARFIELD

JIM DAVIS

© 1978 United Feature Syndicate. Inc

6-29

PURRR

DETESTO LA ELECTRICIDAD ESTÁTICA.

7-3

JIM DAVIS

A DECIR VERDAD, NO DEBERÍA COMERME ESTE PEZ...

7-4

© 1978 United Feature Syndicate, Inc JIM DAVIS

LLAMÉMOSLO DEBILIDAD ÉTNICA.

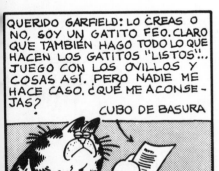

¡POOMP!

VERÁS COMO TE GUSTA ESTA PELÍCULA, GARFIELD. SIEMPRE HA SIDO MI FAVORITA.

7-14

AHORA VA EL TENIENTE LACROIX Y ENCUENTRA SANGRE EN UNA MANGA DEL MAYORDOMO... Y PIENSA: "¡AJÁ! ESTE TIPO ES MUY SOSPECHOSO"

© 1978 United Feature Syndicate, Inc.

JIM DAVIS

NO SOY MÁS QUE UN GATO NORMAL Y CORRIENTE...

© 1978 United Feature Syndicate, Inc.

7-15

POR EJEMPLO, ME CHIFLAN LOS PRODUCTOS NATURALES...

¡LASAÑA!

JIM DAVIS

7-19.

7/23

¡CUIDADO CON EL GATO!

SLURP
MUNCH
SMACK

GARFIELD, ERES UN CERDO GORDO, ENGREÍDO Y HOLGAZÁN.

BUENO... ¡PERDÓNAME!

JIM DAVIS 7-24

7-25

¡GARFIELD, DÉJATE DE TONTERÍAS!

© 1978 United Feature Syndicate, Inc

JIM DAVIS

¡POOK!

7-28

JIM DAVIS

EH, EH, EH.

M·I·C

7-29

UN GATO AL QUE LE GUSTA EL RATÓN MICKEY.

K·E·Y

SACÚDELE, ANITA.

JIM DAVIS

NO TE PASES DE LISTO CONMIGO, GARFIELD. NO COMERÁS DE MI BISTEC.

JIM DAVIS

8-6

8-9 © 1978 United Feature Syndicate, Inc.

JIM DAVIS

3-10 © 1978 United Feature Syndicate, Inc.

JIM DAVIS

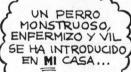

GARFIELD, DESDE ESTE MISMO MOMENTO TE PONGO A RÉGIMEN.

8-28 © 1978 United Feature Syndicate, Inc.

¿GARFIELD?

CREO QUE HA SUFRIDO UNA VIOLENTA CONMOCIÓN.

JIM DAVIS

VAMOS, VIEJO AMIGO. ESTAR A RÉGIMEN NO ES TAN MALO. MIRA, SI TE QUITAS DE ENCIMA UN PAR DE KILOS, VOLVERÁS A ESTAR ÁGIL Y ESBELTO.

8-29 © 1978 United Feature Syndicate, Inc.

ASÍ ESTÁ MEJOR.

JIM DAVIS

NO TENGO VALOR PARA DECIRLE QUE REBASÓ HACE TIEMPO LA ALERTA ROJA.

¡CERA!

TODO SABE BIEN CUANDO SE ESTÁ A RÉGIMEN.

JIM DAVIS

VEAMOS CUANTO TE HA BENEFICIADO ESTAR A RÉGIMEN ESTA SEMANA.

¿DÓNDE ESTÁ LA BÁSCULA DEL CUARTO DE BAÑO?

ESTOY SENTADO ENCIMA.

DETESTO EL VERANO. TANTO CALOR ME MATA.

AJÁ... EL VENTILADOR DE JON.

LAS GAFAS DE SOL DE JON.

LA GORRA DE JON.

UNOS CUBITOS DE HIELO Y LA BAÑERA HINCHABLE DE JON.

JIM DAVIS

BUENOS DÍAS, JON. TU CORREO.

9-3

© 1978 United Feature Syndicate, Inc

© 1978 United Feature Syndicate, Inc.

JIM DAVIS

JE, JE, JE

78 United Feature Syndicate, Inc.   9-7

JA, JA, JA, JA, JA

JIM DAVIS

9-11

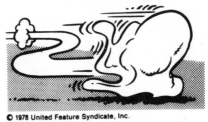

© 1978 United Feature Syndicate, Inc.

JIM DAVIS

9-12

JIM DAV

PURRRR

9-13

¡PURRR!

TOMA UN POCO DE LASAÑA, GARFIELD.

PURRRR

JIM DAVIS

CRINKLE RUSTLE CRINKLE

GARFIELD, SAL DE LA PAPELERA.

JIM DAVIS

9-14

FWIP FWIP FWIP FWIP

LE HA DADO EL SOL EN EL VIENTRE.

AH, POR FIN EMPIEZA LA TEMPORADA DE RUGBY.

YO ME HABRÍA DEDICADO AL RUGBY SI NO HUBIERA SIDO POR MIS IDEAS.

NO CREÍA EN LOS DERRAMAMIENTOS DE SANGRE EN SÁBADO.

PUES VAYA AFICIÓN AL TRABAJO INÚTIL.

9-22

JIM DAVIS

9-25

¡FIIIP!

FLUFF FLUFF

GARFIELD A COMER

DETESTO LOS LUNES

HABRÍA QUE EXPULSAR DEL PAÍS A TODOS LOS PERROS.

JIM DAVIS

SON RUIDOSOS, IDIOTAS, SUCIOS Y VIOLENTOS.

9-26

Y NO HACEN MÁS QUE ENCHARCAR LAS PAREDES.

BUZZZZZZZZZZZZZZZZZZZZZZ

© 1978 United Feature Syndicate, Inc.

ZZZZZZZZ

10-9

SPLOOSH

DETESTO LOS LUNES.

JIM DAVIS

© 1978 United Feature Syndicate, Inc.

10-10

¿NUNCA SE TE HA OCURRI-DO PASEAR **ALREDEDOR** DE LOS MUEBLES?

JIM DAVIS

BUENO, BUENO... CREO QUE UN GATO ESTÁ AUTORIZADO A DESCUIDAR SUS DEFENSAS AL MENOS UNA VEZ EN LA VIDA.

© 1978 United Feature Syndicate, Inc.

JIM DAVIS

AGUA AGUA AGUA

© 1978 United Feature Syndicate, Inc.

PAT PAT PAT

10-12

¿PARA QUÉ MOLESTARSE?

JIM DAVIS

PARPADEO

HE
VUELTO A
GANAR.

JiM DAViS   10-15

NO PUEDO HACER FRENTE A LA VIDA SIN UÑAS. VOY A METER LA CABEZA EN EL HORNO Y QUE TODO TERMINE DE UNA VEZ.

10-18

¡MALDITO HORNO ELÉCTRICO!

JIM DAVIS

JON ME VA A CORTAR LAS UÑAS.

10-19

ES UNA IDEA ATERRADORA...

IR POR LA VIDA DESARMADO.

JIM DAVIS

¡LARGO DE MI COMIDA, OSO!

CREO QUE ACABO DE GRITAR A UN OSO DE TRAPO.

1978 United Feature Syndicate, Inc.

10-25

JIM DAVIS

NO, NO QUIERO DAR UN BESO DE BUENAS NOCHES A TU OSITO.

10-26

MUÁ

© 1978 United Feature Syndicate, Inc.

JIM DAVIS

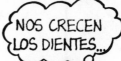

SCREEE!

CUATRO SUELAS, ABRAZADERAS DE ACERO, PLANTILLAS ABSORBENTES GARANTIZADAS.

¡ZOOOOOM!

11-3

JIM DAVIS

11-4

¡ZIP!

ESTAS COSAS ME DUELEN MÁS QUE A ÉL.

JIM DAVIS

BUZZ
SAW
SAW
SCRATCH
SCRATCH
CUT
CUT
BZZZ

¡MMMPH!

11-13

11-14

© 1978 United Feature Syndicate, Inc.

VEAMOS... EL PIANO, LA ESTANTERÍA, EL BANCO, EL SUELO...

© 1978 United Feature Syndicate, Inc.

NO. ME PARECE MEJOR LA CÓMODA, EL SILLÓN, LUEGO EL COJÍN Y POR ÚLTIMO EL SUELO.

JIM DAVIS
11-17

MMMM. UNO DE LOS PAQUETES CONTIENE COMIDA PARA PERROS Y EL OTRO COMIDA PARA GATOS, PERO HE OLVIDADO CUÁL ES CUÁL.

11-18

© 1978 United Feature Syndicate, Inc.

WHAM!

JIM DAVIS

¡AJA!

PARA ASEGURARME DE QUE ESTÁS LEJOS DEL PASTEL, TE PONDRÉ ESTA CAMPANITA AL CUELLO

DING·A·LING A·LING A·LING

DEBERÍA HABÉRSEME OCURRIDO HACE TIENPO.

DING·A·LING A·LING A·LING

JE, JE. GARFIELD ESTÁ AHORA EN EL DORMITORIO.

DING·A·LING A·LING A·LING

11·26

AHORA CRUZA EL CUARTO DE BAÑO.

DING·A·LING A·LING A·LING

AHORA ESTÁ EN EL PASILLO, CAMINO DE LA SALITA.

DING·A·LING A·LING A·LING

DING·A·LING A·LING A·LING

TODAVÍA NO SE HA INVENTADO LA CAMPANITA QUE ME IMPIDA COMERME UN PASTEL.

JIM DAVIS